D1155675

Wielka księga przygód 3. Basia

Tekst:
Zofia Stanecka
Ilustracje:
Marianna Oklejak
Opracowanie graficzne:
Dorota Nowacka
Prowadzenie projektu:
Agnieszka Betlejewska

Korekta:
Bożenna Kozerska,
Jolanta Gomółka
Produkcja:
Jolanta Powierża

© Egmont Polska Sp. z o.o.
Warszawa 2015
tekst © Zofia Stanecka

Wydanie pierwsze
Warszawa 2015
Egmont Polska Sp. z o.o.
ul. Dzielna 60
01-029 Warszawa
tel. 22 838 41 00

ISBN 978-83-281-0543-0

Druk i oprawa:
Colonel, Kraków

Wielka księga przygód

przygód

3

Zofia Stanecka

Marianna Oklejak

Literacki
EGMONT

R06043 92366

Basia ma tylko pięć lat, ale dużo spraw
na głowie! Zastanawia się, skąd Mama
bierze pieniądze, czy gratis znaczy
za darmo i dlaczego nie zawsze można mieć
wszystko, co by się chciało. Bada problem
słodyczy: czy zawsze je można jeść,
czy wszyscy je lubią i co się stanie,
kiedy się nimi przeje. Idzie z rodziną
do dentysty, bawi się z Dziadkiem
i sprawdza, co można zrobić, kiedy zepsuje
się telewizor. Myśli też o tym, czy da się
żyć bez własnego telefonu i czy wystarczy
coś na siebie założyć, czy trzeba być
modnym? Basia ma tylko pięć lat. Tylko?
Na pewno w sam raz, żeby szukać
odpowiedzi na rozmaite ważne pytania!

Spis treści

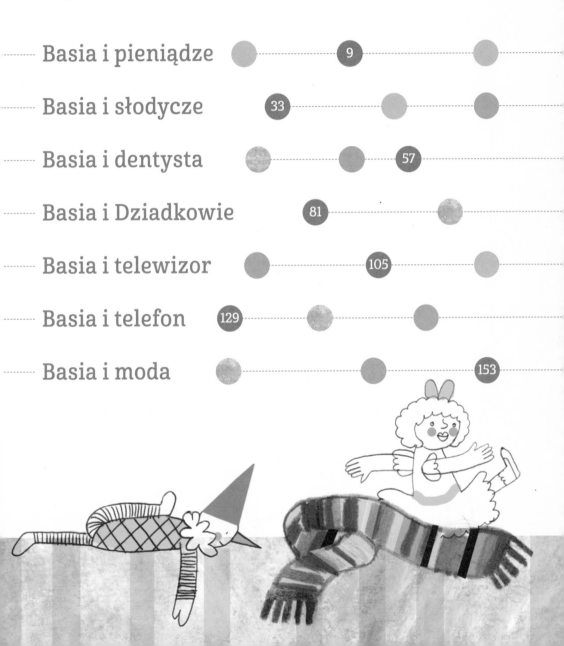

Basia

i pieniądze

– Skończyło się mleko – oświadczyła Mama w sobotę
przy śniadaniu. Zajrzała do szafki. – I płatki też. I makaron.
– I papier toaletowy! – zawołał z głębi mieszkania Janek.
– Jedziemy do sklepu, do sklepu, do sklepu! – zaśpiewała
Basia i zaczęła skakać na jednej nodze wokół stołu.
Mama westchnęła i usiadła ciężko na krześle. Nie wyglądała
na zachwyconą. Od jakiegoś czasu to Tata robił większe
zakupy, ale teraz wyjechał na tygodniową konferencję
medyczną.
– Franku, słyszałeś? – Basia pochyliła się nad młodszym
bratem, który siedział na podłodze pod stołem i zjadał
okruchy. – Jedziemy do sklepu!
– Bła, bła! – ucieszył się Franek i zaklaskał obślinionymi
rączkami.
– Kupimy plastelinę – wyliczała Basia – i blok, i...
– ...zeszyty – włączył się Janek – i farby, i chipsy...
– ...i czekoladę, i...

– Chwileczkę – zaśmiała się Mama. – Myślałam,
że jedziemy po papier toaletowy i makaron.
– I po plastelinę – dodała Basia.
– I po zeszyty – wtrącił Janek.
– I po czekoladę, i...
– Dobrze, już dobrze – Mama przerwała im wyliczanie. –
Najlepiej będzie, jeśli zrobimy listę zakupów. Zanotujemy
wszystko, co musimy kupić dla domu, w tym zeszyty,
plastelinę i bloki. A jeśli wystarczy pieniędzy, może
kupimy też jakieś słodycze.

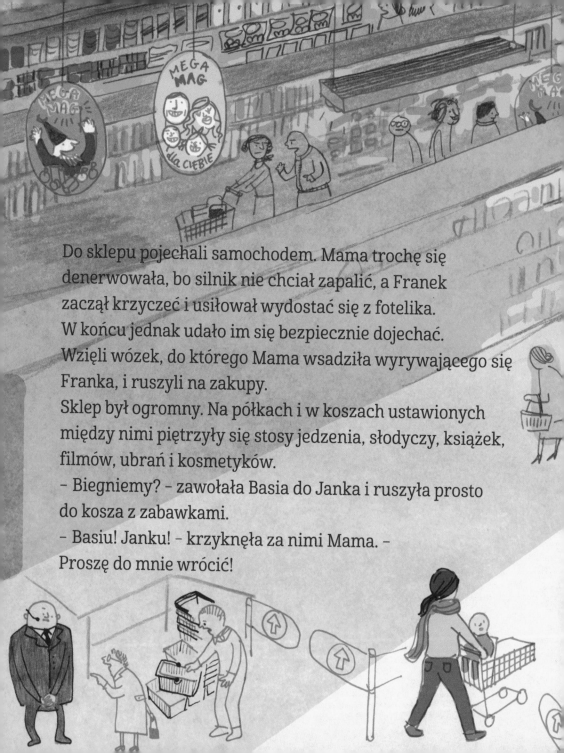

Do sklepu pojechali samochodem. Mama trochę się
denerwowała, bo silnik nie chciał zapalić, a Franek
zaczął krzyczeć i usiłował wydostać się z fotelika.
W końcu jednak udało im się bezpiecznie dojechać.
Wzięli wózek, do którego Mama wsadziła wyrywającego się
Franka, i ruszyli na zakupy.
Sklep był ogromny. Na półkach i w koszach ustawionych
między nimi piętrzyły się stosy jedzenia, słodyczy, książek,
filmów, ubrań i kosmetyków.
– Biegniemy? – zawołała Basia do Janka i ruszyła prosto
do kosza z zabawkami.
– Basiu! Janku! – krzyknęła za nimi Mama. –
Proszę do mnie wrócić!

Basia nie słyszała. Z zaczerwienioną z przejęcia twarzą pochylała się nad koszem z małymi laleczkami. Obok niej Janek oglądał pudełka z metalowymi samochodzikami.

– Pro-moc-ja – przeczytał. – Przy za-ku-pie dwóch sa-mo-cho-dzi-ków la-lecz-ka gratis.

– Co to znaczy gratis? – zainteresowała się Basia.

– Że jak kupisz dwa samochody, laleczkę dostaniesz za darmo.

– Mamo! – Basia odwróciła się od kosza i poszukała wzrokiem Mamy. – Kupisz mi laleczkę za darmo?

Mama podjechała do nich z miną niewróżącą nic dobrego.

– Nie wolno wam tak odbiegać – powiedziała surowym tonem. – Musicie być blisko mnie, tak żebym was widziała, bo jak nie, zaraz wrócimy do domu i nie kupimy ani plasteliny, ani czekolady, ani jedzenia. I aż do powrotu Taty będziemy się żywić suchym ryżem.

– A jeśli będziemy blisko – zapytała Basia – to kupisz mi laleczkę za darmo?

– Ona nie jest za darmo. Żeby ją dostać, musiałabym kupić dwa samochodziki.

– Jeden byłby dla Janka, a drugi dla mojej laleczki. Tej za darmo.

– Basiu – tłumaczyła Mama – gratis nie oznacza, że ta rzecz nic nie kosztuje. To tylko taka próba naciągnięcia ludzi, żeby kupowali niepotrzebne im rzeczy. Zresztą nie planowaliśmy kupowania zabawek. Nie dziś. Gdybym wydała pieniądze na samochody i lalkę, mogłoby mi nie starczyć na jedzenie.

– Eee tam – Basia uśmiechnęła się szeroko. – Przecież
zawsze możemy pójść do bankomatu i wziąć więcej
pieniędzy.

– Widziałem bankomat koło wejścia – zawołał ucieszony
Janek.

Mama przejechała ręką po twarzy. Wyglądała na zmęczoną.

– Bankomat nie rozdaje ludziom pieniędzy, które do nich
nie należą. Wypłacamy z niego to, co wcześniej wpłaciliśmy
do banku. I jeśli wszystko wydamy, nic nam nie zostaje, i już.

Basia zmarszczyła brwi.

– Zupełnie nic? Nawet na jedzenie? – zapytała. – Czy to znaczy, że umrzemy z głodu i zamieszkamy na ulicy jak dziewczynka z zapałkami? I nikt nie będzie chciał kupić od nas zapałek, a mróz będzie taki okropny, i...

– Nie, Basiu – uśmiechnęła się Mama. – Nie umrzemy z głodu. Chodziło mi tylko o to, że nie możemy wydawać pieniędzy bezmyślnie. Mamy ze sobą listę zakupów. Trzymajmy się tego, co na niej zapisaliśmy. I rozchmurz się, wciąż mam dość pieniędzy, żeby kupić plastelinę i czekoladę.

Basia odwróciła się od kosza z laleczkami i smętnie powlokła się za wózkiem. Milczała, kiedy Mama pakowała do niego kolejne rzeczy z listy.

– A gdybyśmy tak – powiedziała nagle – nie kupili papieru toaletowego i mleka, to wtedy mielibyśmy pieniądze na tę laleczkę, która nie jest za darmo? Mama westchnęła.

– Tak, wtedy mielibyśmy pieniądze, ale nie mielibyśmy mleka do płatków i do kawy.

– Nie muszę pić mleka – oświadczyła Basia.

– Myślę, że powinnaś. A ja lubię wypić rano kawę z mlekiem. I nie próbuj mi wmówić, że nie musisz używać papieru toaletowego.

Janek zachichotał, a Basia spojrzała na niego obrażona.

– Mamo, on się ze mnie śmieje – zawołała.

– Nie ma co się śmiać – powiedziała Mama i wrzuciła do wózka paczkę herbaty. – Każdy używa papieru toaletowego. Ja też. To jedna z tych rzeczy, które po prostu musimy kupić. Podobnie jak mleko. I herbatę. A laleczkę to już niekoniecznie.

– Ale ja chcę ją mieć! – krzyknęła Basia i stanęła między półkami.

– Rozumiem – zaczęła Mama. – Ja też często...
– Nieprawda! – zdenerwowała się Basia. – Wcale nie rozumiesz! Zuzia ma chyba milion takich laleczek, a ja nawet jednej! Wy nigdy nic mi nie kupujecie!
– Nie krzycz, Basiu – powiedziała Mama i dodała: – To naprawdę trudna sytuacja, kiedy ktoś obok ma bardzo dużo rzeczy. Kiedy byłam mała, miałam koleżankę, która miała chyba wszystko i...
– Ja, jak już dorosnę, będę miała całe góry pieniędzy – przerwała Mamie Basia. – I będę kupowała mojej córeczce miliony laleczek.

– Ciekawe, skąd weźmiesz te pieniądze? – zadrwił Janek. –
Wykopiesz spod ziemi?

– A żebyś wiedział! Wezmę i założę kopalnię pieniędzy
i kiedy mi się skończą pieniądze w bankomacie, pójdę
do mojej kopalni i je sobie wykopię, i włożę do bankomatu,
żebym mogła z niego znowu wyjąć!

– Ale ty jesteś dziecinna! – zaśmiał się Janek. – Pieniądze
zarabia się w pracy, a nie wykopuje z ziemi.

– Nieprawda! – Basia była teraz naprawdę wściekła. –
Jak jest się górnikiem, to się wykopuje!

– Górnik wykopuje węgiel albo sól, a pieniądze to się zarabia,
jak się leczy ludzi, jak Tata, albo pisze na laptopie, jak Mama.

- Dzieci, uspokójcie się. – Mama podeszła do Basi i Janka i kucnęła obok nich. Uniesioną ręką przytrzymywała wiercącego się Franka. – To prawda, że pieniądze zarabia się w pracy. W każdej pracy. Takiej pod ziemią też. Górnik za to, że wydobywa węgiel lub sól, też dostaje pieniądze, więc w jakimś sensie wykopuje je z ziemi.

- A widzisz! – Basia wykrzywiła się do Janka.

- Tylko że – ciągnęła Mama – nawet ktoś, kto ma górę pieniędzy, nie powinien ich wydawać na miliony laleczek.

- Dlaczego? – zdziwiła się Basia.

- Przecież i tak by się nimi nie bawił. Kupowanie czegoś tylko po to, żeby mieć, jest zupełnie bez sensu. Ty, Basiu, masz całe stosy lalek w pudle pod łóżkiem, a i tak bawisz się tylko Miśkiem Zdziśkiem.

Basia stała przez chwilę ze zmarszczonym czołem, a potem powiedziała cicho:

- Wszystkie dziewczynki w przedszkolu mają takie laleczki. Tylko Anielka i ja nie.

- I jest ci z tego powodu przykro? – w głosie Mamy brzmiała teraz prawdziwa troska.

– Zuzia mówi – szepnęła jeszcze ciszej niż poprzednio – że nasze zabawki są badziewne. I że wszystkie fajne dziewczyny mają takie laleczki jak ona.

– Badziewne? – zdziwiła się Mama. – Czy uważasz, że Misiek Zdzisiek jest właśnie taki? Cokolwiek to znaczy... Basia pokręciła głową, ale wciąż miała smutną minę.

– I czy myślisz, że Anielka byłaby fajniejsza, gdyby miała taką laleczkę jak reszta dziewczynek? Basia jeszcze raz pokręciła głową.

– Widzisz, córeczko – Mama pogłaskała ją po włosach. – Nie można oceniać ludzi po tym, co mają. Wiem, że to dla ciebie bardzo trudne, ale myślę, że lepiej kupić plastelinę i kredki i zaprosić do nas Anielkę na popołudnie na wspólne lepienie i rysowanie.

– Naprawdę? – rozchmurzyła się Basia. – Zaprosimy Anielkę? W takim razie pobawię się z nią w sklep.

– A Jankowi zaprosimy Antka – uśmiechnęła się Mama. – I razem zjemy czekoladę, którą zaraz kupimy.

– W takim razie musimy kupić dwie czekolady – oświadczyła Basia całkiem już wesoło.

– I chipsy – dorzucił Janek. – Antek bardzo lubi chipsy.

Mama skrzywiła się i już zamierzała coś powiedzieć,
gdy nagle usłyszała przeraźliwy huk.

– Bła, bła – ucieszył się Franek, któremu w końcu udało się
dosięgnąć stojaka z batonikami chrupkowymi i pociągnąć
za wystający papierek. Stojak upadł, a leżące na nim
batoniki rozsypały się po podłodze.

– Franku... – jęknęła Mama. – Coś ty narobił?
Podniosła stojak i z pomocą Janka i Basi poukładała
na nim rozsypane batoniki. Cztery z nich były tak
połamane, że nie można już było odłożyć ich na półkę.
Mama zrezygnowanym gestem wrzuciła je do wózka.
Basia wymieniła z Jankiem zachwycone spojrzenie.

Po przygodzie ze stojakiem poszli wybierać warzywa.
W czasie kiedy Mama szukała najlepszych jabłek, Basia
uwieszała się na wózku i jeździła wokół Janka, a w dziale
rybnym ślizgała się na mokrych od lodu kafelkach.
Wszystko wydawało jej się ciekawe i ekscytujące.
Zaczęła się nudzić dopiero w kolejce do kasy.

- Stoimy i stoimy - marudziła.

- Przecież muszę zapłacić za to wszystko - powiedziała
Mama dziwnie rozdrażnionym głosem.

- I to jest właśnie bez sensu - oświadczyła Basia. - Najpierw
oddajemy pieniądze do bankomatu, żeby je z niego wyjąć.
A jak już je wyjmiemy, to stoimy w kolejce, żeby je znowu
oddać. Dlaczego?

Mama nie odpowiedziała, bo właśnie odkryła, że plecak
z portfelem zostawiła w samochodzie. Musiała odstawić
wózek z zakupami do punktu informacyjnego i z Frankiem
na ręku pobiec na parking. Basia i Janek dreptali tuż za nią.
Mama wyglądała tak, że nic już nie mówili. Pomogli jej
potem zapakować wszystko do toreb i powkładać zakupy
do bagażnika. Po odstawieniu wózka i krótkiej walce
z Frankiem, który za nic nie chciał siedzieć w foteliku,
ruszyli w drogę powrotną do domu.
– Muszę napić się kawy – wysapała Mama, przekręcając
kluczyk w stacyjce.
– Jak tylko założę z Anielką sklep – uśmiechnęła się
Basia – sprzedam ci kawę gratis, Mamo. Wystarczy,
że dasz mi dwie czekolady.

Basia

i słodycze

Do pokoju Basi weszli rodzice.
Uśmiechnęli się i zaśpiewali:
– Sto lat, sto lat niech żyje Basia nam!
– Postanowiliśmy, że z okazji urodzin dostaniesz
tyle słodyczy, ile tylko zechcesz – powiedziała Mama.
I wysypała na łóżko cały wór cukierków i miśków
żelkowych. Tata zawiesił na lampie lizaki tak, że wyglądały
jak różnokolorowe kryształki. A potem przynieśli jeszcze
tace z ciastkami i czekoladą. Basia siedziała pośród żelków
i zastanawiała się, od czego zacząć. Chyba od ciastka z bitą
śmietaną. Sięgnęła po największe, otworzyła usta i...

– Basiu, wstawaj! – Mama odgarnęła kołdrę i delikatnie połaskotała wystającą spod niej rozgrzaną stopę. – Już późno.

Basia podkurczyła nogi, naciągnęła kołdrę na głowę i zacisnęła mocno powieki. Leżała cicho i nieruchomo. Jeśli jej się uda, sen wróci. Kołderka była miękka i ciepła, a powieki Basi bardzo, bardzo ciężkie. Przerwany sen nie miał najmniejszych problemów, żeby powrócić i raz jeszcze zamienić pokój w krainę słodyczy. Pogrążona we śnie Basia sięgnęła po ciastko. Bita śmietana spłynęła jej na rękę, więc wysunęła język, żeby ją zlizać...

– Basiu, nie udawaj, że śpisz. – Głos Mamy brutalnie zburzył cudowną wizję.

Basia wysunęła spod kołdry rozczochraną głowę.
Była zła. Zamknęła oczy, ale sen odpłynął na dobre.
A razem z nim calutki dobry humor.
– Co się stało? – spytała Mama.
– Nic! – krzyknęła Basia. – Nie wstaję!
– To chyba będziesz się trochę nudzić – rzuciła Mama
wesołym tonem. Zdaniem Basi, zbyt wesołym.
– I co z tego! – odburknęła. – Nie wyjdę! Chyba że... –
dodała po chwili namysłu. – Chyba że dostanę lizaka.
Nie! Dwa lizaki!
– Lizaka? W poniedziałek? Przed śniadaniem? –
zdziwiła się Mama. – Jeśli szybko wstaniesz i zjesz
śniadanie, możesz dostać trochę rodzynek.

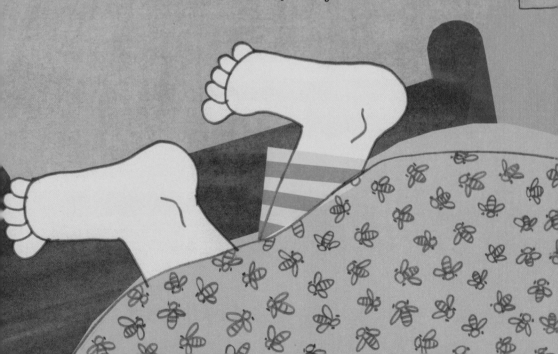

– Nie chcę rodzynek! Rodzynki są pas-kud-ne!
Chcę lizaka! – Basia wrzeszczała tak głośno, że w drzwiach
pojawił się Janek.
– Jakiego lizaka? – spytał. – Jeśli Baśka dostanie lizaka,
to ja też chcę.
– Nikt żadnego lizaka nie dostanie – powiedziała Mama. –
Po pierwsze, nie je się słodyczy przed śniadaniem,
po drugie, dziś nie jest słodyczowy dzień. A poza tym
jakieś ktosie wyjadły z szafki ze słodyczami wszystkie
krówki i teraz te ktosie powinny mieć karę.

– Słodyczowe dni są głupie!!! – zawyła Basia. – Wstawanie jest głupie!

– Rozumiem, że obudziłaś się w złym humorze. – Mama próbowała załagodzić sytuację. – Mnie też się to czasem zdarza. Powinnaś jednak wstać, bo inaczej się spóźnimy i...

– Spóźnimy?! – Teraz krzyczał też Janek. – O nie! Ja nie mogę się spóźnić do szkoły!

Odkąd poszedł do szkolnej zerówki, pilnował całej rodziny, żeby nie wychodziła za późno z domu.

– Dam ci lizaka, który mi został z soboty, tylko wstawaj – powiedział do siostry.

– Wiśniowego? – upewniła się Basia.

Janek skinął głową.

– To wstaję.

Mama otworzyła usta, żeby coś powiedzieć,
ale machnęła tylko ręką i poszła do kuchni. Usiadła
ciężko przy kuchennym stole i spuściła głowę.
- Co się stało, Tośku? - spytał Tata, który
właśnie zalewał wrzątkiem dwie kawy.
- Bycie konsekwentną w poniedziałkowy ranek
to rzecz, która czasem po prostu mnie przerasta -
westchnęła.
Tata nic na to nie powiedział, ale pokiwał głową
ze zrozumieniem i podał Mamie kawę z łyżeczką
cukru i spienionym mlekiem. I batonik musli.
Na pocieszenie.

W przedszkolu Basia od razu podbiegła do Anielki.

– Śniło mi się, że dostałam całe góry słodyczy! – zawołała, zanim jeszcze zdążyły się przywitać. – Lizaki, żelki, landrynki... Było ich tak dużo, że zaczęły wyłazić oknem! Super, nie?

– Nie lubię słodyczy – powiedziała Anielka.

– Nie lubisz... słodyczy? – Basia nie mogła uwierzyć w to, co usłyszała. – Jak to? Nawet żelków?

Anielka skinęła głową i sięgnęła po blok i kredki. Przygotowała stanowisko pracy i zaczęła nucić. Rozmowa o słodyczach najwyraźniej jej nie interesowała. Basia jednak wpatrywała się w nią tak intensywnie, że w końcu Anielka podniosła wzrok i uśmiechnęła się nieśmiało.

– Mama mówi, że cukier to trucizna – oznajmiła spokojnie.

– Trucizna?! – Basia z przerażeniem przypomniała sobie zjedzonego rano lizaka.

– Nie taka, że od razu od niej umierasz – wyjaśniła
Anielka. – Ale kiedy jesz dużo cukru, twój brzuch się do tego
przyzwyczaja i potem nie ma już ochoty na nic innego.
A ja lubię jeść różne rzeczy.
Anielka chyba nigdy jeszcze nie wypowiedziała tylu słów
na raz. Basia wpatrywała się w nią szeroko otwartymi
oczami, a potem usiadła obok i machinalnie sięgnęła
po kartkę. To, co usłyszała, było tak zdumiewające,
że nie umiała wymyślić nic, co mogłaby na to odpowiedzieć.
Jak można nie lubić żelków? Przyjrzała się rysującej Anielce
podejrzliwie, ale nie zauważyła nic niezwykłego.

Po przedszkolu Mama zabrała Basię na zakupy. Musiały znaleźć prezent dla Zuzi, bo na popołudnie Basia była zaproszona na jej urodziny w sali zabaw Kulahop. Długo szukały czegoś odpowiedniego i w końcu zdecydowały się na książkę, bo – jak powiedziała Mama – dobrych książek nigdy za wiele, a Zuzia i tak miała wszystkie zabawki, o jakich tylko można zamarzyć.

– Basiu – poprosiła Mama, która przy okazji kupiła też książki dla całej rodziny – podaj mi portfel z torebki, bo mam obie ręce zajęte.

Basia otworzyła torebkę Mamy, a tam, na samym wierzchu leżał papierek po batoniku.

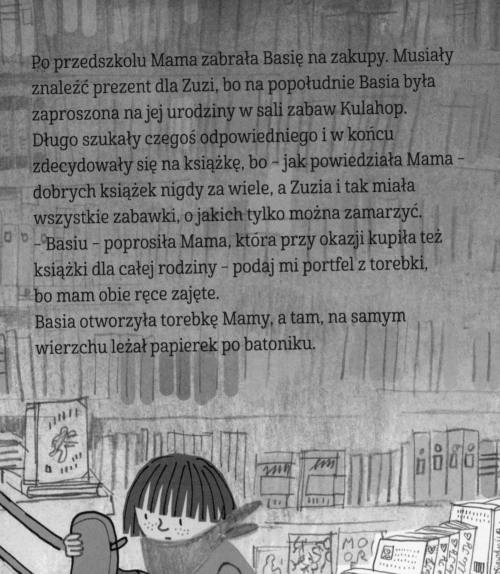

– Jadłaś słodycze! – rzuciła Basia oskarżycielskim tonem. – Dziś nie jest sobota i niedziela, a mówiłaś, że jemy słodycze tylko w soboty i niedziele.

Mama zarumieniła się lekko. Zapłaciła za książki i zaprowadziła Basię do stolika.

– Tak właśnie mówiłam – przyznała, gdy usiadły. – Zjadłam dziś batonik, bo miałam za sobą nieprzespaną noc, a potem ciężki ranek. I wcale nie jestem z siebie zadowolona.

Basia zmarszczyła brwi.

– Powinnaś mieć karę! – zawołała. – Na przykład... Dasz nam wszystkie słodycze z szafki!

– To chyba nie jest najlepszy pomysł. – Mama uśmiechnęła się do niej. – Ale rzeczywiście powinnam dotrzymać tego,

na co się umówiliśmy. Niestety, nie zawsze jest łatwo przestrzegać zasad. Nawet gdy nie jest się dzieckiem i nawet kiedy się te zasady samemu ustanowiło.

Basia myślała przez chwilę nad tym, co usłyszała.

– Nie martw się, Mamo – powiedziała w końcu. – Możemy umówić się, że dziś jest sobota.

Mama westchnęła.

– To tak nie działa. Dziś nie jest sobota, tylko poniedziałek. Najlepiej będzie, jeśli umówimy się, że na przyszłość postaramy się lepiej przestrzegać zasad, na które się zgodziłyśmy.

– A co z urodzinami Zuzi? – zaniepokoiła się Basia. – Czy na nich też nie będę mogła zjeść nic słodkiego?

– Oczywiście, że będziesz mogła. Przecież wiesz, że urodziny i święta to wyjątkowe okazje.

W Kulahop było głośno i kolorowo. Goście Zuzi, zgrzani, spoceni i w samych skarpetkach, biegali od zabawki, do zabawki, od tunelu do rynny z kulkami i cały czas pokrzykiwali. W biegu porywali z niskich stolików garście chrupek orzechowych, żelków, czekoladek, ciastek i paluszków. Mama z Basią usiłowały w tłumie przepychających się dzieci odnaleźć Zuzię. W końcu przybiegła do nich, rozczochrana i umazana czekoladą. Basia wręczyła jej prezent.

– Książka – stwierdziła Zuzia na widok prostokątnej paczki i bez rozpakowywania cisnęła ją na stos leżących w kącie prezentów.

– Idziesz? – rzuciła w kierunku Basi i pognała do siatkowego labiryntu.

Basia zdjęła buty i pobiegła za Zuzią. Zaczęła szukać Anielki,
ale nigdzie jej nie było. Przez chwilę było jej smutno,
ale potem się rozpogodziła, bo słodycze na stołach wyglądały
niesamowicie. Postanowiła sprawdzić, czy na pewno są
tak smaczne, jak wyglądają. Nałożyła na papierowy talerzyk
furę żelków, garść czekoladek, paluszki i masę ciasteczek
w kształcie zwierzątek. Usiadła z talerzem na kolanach
i zaczęła jeść. Dopiero po chwili zorientowała się, że obok
niej siedzi jakiś chłopiec.

– Czeszcz – przywitała się Basia, usiłując przełknąć lepką
masę wypełniającą jej usta. – Szuper, czo?
Chłopiec spojrzał na nią i wzruszył ramionami.

– I tak nie mogę nic jeść – powiedział.

– Nie masz szłodyszowego dnia? – Basia kiwnęła głową
ze zrozumieniem.

– Jestem uczulony na czekoladę – wyjaśnił chłopiec. –
I na mleko. Kiedy jem słodycze, swędzi mnie wszędzie
i zaczynam się dusić.

– Mam żelki. Mogę ci dać. – Basia podsunęła chłopcu swój
wypełniony po brzegi talerzyk. Wyobraziła sobie, że jest
uczulona na czekoladę i zrobiło jej się słabo z przerażenia.

W końcu na stole pojawił się tort – ogromny,
wielopiętrowy, oblany czekoladą i różowym lukrem,
Basia zjadła dwie porcje. Po torcie zjadła jeszcze
galaretkę w czekoladzie i trochę chrupek. A potem
to już naprawdę zrobiło jej się niedobrze.

W nocy Basia miała sen. Jej pokój wypełniony był
po brzegi słodyczami. Cukierki i żelki leżały na łóżku,
a z lampy pod sufitem zwieszały się lizaki. Na stoliku,
na półkach i w pudłach piętrzyły się stosy ciastek
i czekoladek. Basia sięgnęła po ciastko z kremem i...
Obudziła się. Przetarła oczy, żeby się upewnić,
czy na pewno nie śni. Pokój wyglądał tak jak zawsze,
a na stoliku zamiast ciastek leżały książki. Basia odetchnęła
z ulgą. Wstała i podreptała do kuchni. Nalała sobie wody,
wyciągnęła z lodówki ogórka małosolnego i usiadła przy
kuchennym stole. Chrupnęła ogórka i zaczęła rozmyślać
o słodyczach. Kiedyś sądziła, że są po prostu pyszne.
Potem dowiedziała się, że tuczą i psują się od nich zęby,
więc nie można ich jeść codziennie. A dziś okazało się,
że niektórzy uznają je za truciznę, a inni, i to dorośli,
pocieszają się nimi. Okazało się też, że na słodycze można
być uczulonym i że można się nimi tak przejeść, że nie ma
się ochoty nawet na jednego, maleńkiego lizaczka.
Okropnie to wszystko skomplikowane – pomyślała Basia.
I wróciła do łóżka.

Basia

i dentysta

Basi zaczął ruszać się ząb. Dolna jedynka kiwała się w przód i w tył, a popchnięta językiem, bolała i wydawała dziwne odgłosy.

– Mamo! – poskarżył się Janek. – Ona jest obrzydliwa! Ciamka zębem, kiedy ja jem.

– Wcale nie ciamkam! – zdenerwowała się Basia. – Ruszam. To on ciamka, nie ja!

– Jaki „on"? Ząb? – Mama oderwała wzrok od laptopa. Myślami była przy tekście, który właśnie pisała, i docierały do niej tylko niektóre słowa.

Basia zerwała się z krzesła.

– Wcale mnie nie słuchasz! – krzyknęła. – Ciągle pracujesz i pracujesz!

Odwróciła się i pobiegła do swojego pokoju. Trzasnęła drzwiami, złapała Miśka Zdziśka i mocno go przytuliła.
- Tylko ty mnie rozumiesz - wyszeptała w brudnawe ucho. - Pobawimy się w dentystę - zaproponowała, a Misiek Zdzisiek nie zaprotestował. - Ja będę dentystką, a ty pacjentem. Wyrwę ci ząb, dostaniesz pieniążek od Wróżki Zębuszki, pójdziemy do sklepu i kupię ci żelki, chociaż to bardzo niezdrowe.

Puk, puk! Drzwi skrzypnęły i do pokoju weszła Mama.
Tuż za nią przydreptał Franek.

– Wiesz, Basiu... – Mama usiadła na podłodze. – Rozumiem,
że jesteś zdenerwowana i że nie lubisz, kiedy jestem
myślami gdzie indziej. Nie podoba mi się jednak, że krzyczysz
na mnie i trzaskasz drzwiami. A teraz pokaż ten ząb.
Basia otworzyła usta.

– Rzeczywiście się rusza – powiedziała Mama. – Widzę też,
że masz próchnicę w dolnej czwórce.

– Płóchnicę? – upewniła się Basia i zamknęła usta.

– Dziurę w zębie spowodowaną przez jedzenie zbyt dużej
ilości słodyczy – sprecyzowała Mama nauczycielskim tonem.

– Dycy am, am! – zawołał Franek. – Nanek dycy am, bła, bła.
Jus!

– Nie, Franku – powiedziała Mama. – Nie dostaniesz
słodyczy. Ani teraz, ani w najbliższym czasie.

– Nanek am! – krzyknął Franek i zaczął płakać.

– I tak właśnie kończy się karmienie małych dzieci lizakami.
Tyle razy prosiłam, Basiu, żebyście tego nie robili. Ty w jego
wieku nawet nie znałaś smaku cukru.

– Ja mu nie daję! – broniła się Basia. – To Janek.

– Co ja? – Janek stanął w progu. – Wszystko tylko ja!
A kto dał Frankowi krówkę?

– Krówkę?! – zawołała Mama. – Przecież wiecie, że jemu
nie wolno jeść niczego, co zawiera krowie mleko!

– Ona mi tylko wypadła! – powiedziała Basia.

– Akurat! – nie ustępował Janek. – Sam widziałem, jak...

– Przestańcie! – krzyknęła Mama. – Ostatnio ciągle się
kłócicie. To jest nie do zniesienia. Nie wiem, jak było
z tą krówką, i nie chcę wiedzieć. Wiem za to, że wszyscy
pójdziecie do dentysty. Dawno nie mieliście przeglądu
i trzeba wam zrobić fluoryzację.

– Mnie też? – zdziwił się Janek. – Ale to nie ja dałem
Frankowi krówkę!

– Nie chcę fluro... frulo... fruroryzacji! – zawyła Basia. –
Jest o-brzyd-li-wa!!!

– Nanek nie cie! – poparł ją Franek.

– Nie ma dyskusji! – ucięła Mama. – O zęby trzeba dbać,
a ja mam dość tego, że ostatnio podważacie wszystko,
co powiem.

Dzieci spojrzały na nią zdumione.

Mama wstała i ruszyła w stronę drzwi.

– Krótko mówiąc – dodała jeszcze – od dziś nie chcę
słyszeć żadnych protestów. I kiedy powiem, że gdzieś
idziemy, to idziemy i już!

Mama wyszła i w pokoju zaległa cisza.

– Widzisz – powiedział po chwili Janek – trzeba było
nie dawać mu tej krówki.

Przy kolacji Mama nadal była w groźnym nastroju. Basia starała się nie zwracać na siebie uwagi i nie nakrzyczała na Janka, chociaż zabrał z talerza największy kawałek kiełbasy. Po kolacji bez przypominania odstawiła brudne naczynia do zlewu.

– Co wam się dzisiaj stało? – spytał wesolutko Tata. – Chorzy jesteście, czy ktoś was zaczarował?

– Nikt nikogo nie zaczarował – powiedziała Mama sucho. – Może po prostu wreszcie zrozumieli, że nie da się żyć pośród nieustających przepychanek i kłótni.

– Oj, widzę, że ktoś tu ma zły humor – brnął Tata. – Uśmiechnij się, Tośku, od razu zrobi ci się lepiej.

Mama spiorunowała go wzrokiem.

– Chciałam cię uprzedzić – powiedziała – że w sobotę idziemy do dentysty. Zapisz od razu termin, żebyś potem nie mówił, że zapomniałeś i masz ważne spotkanie. Nie chcę, żeby było tak, jak ostatnim razem, kiedy ty się wykręciłeś, a ja wylądowałam u dentysty sama, z trójką rozrabiających dzieci. Nie mówiąc o tym, że też powinieneś pójść, bo od roku narzekasz, że bolą cię zęby.

Tata spojrzał na Mamę bez słowa. A potem wstał i wstawił wodę na kolejną herbatę.

Wieczorem Mama przyszła poczytać Basi przed snem.
Wciąż miała zmarszczone czoło i nieobecny wzrok, i Basia
nie miała odwagi zapytać, czy dentysta będzie jej wyrywał
ząb na siłę i czy to będzie bolało. Zwinęła się w kłębek
i udawała, że śpi. W końcu naprawdę zasnęła. Przyśniło jej
się, że wypadły jej wszystkie zęby i nie mogła nic jeść.
Obudziła się spocona ze strachu. Był piątek, do wizyty
u dentysty został jeden dzień. Basia, która zawsze lubiła
chodzić do doktora Pyrka, tym razem czuła, że ma
w brzuchu wielką gulę. Do przedszkola poszła markotna,
a po powrocie schodziła z drogi wciąż zdenerwowanej
Mamie. Janek i Tata zachowywali się podobnie. Nawet
Franek zdawał się rozumieć, że coś wisi w powietrzu,
i nie rozsypał płatków, które Janek zostawił tuż obok
jego fotelika.

Następnego dnia cała rodzina weszła przez oszklone drzwi do kliniki dentystycznej „Biały Ząbek". Wewnątrz było czysto i pachniało jak w szpitalu Taty. Za wysoką ladą siedziała wymalowana pani recepcjonistka.

– Jesteśmy umówieni na jedenastą – powiedziała Mama. – Dzieci do doktora Pyrka, a mąż do doktor Pieniążek.

– Mąż?! – Tata spojrzał na Mamę z pretensją. Nie zdążył nic dodać, bo w drzwiach gabinetu numer jeden stanęła największa kobieta, jaką Basia kiedykolwiek widziała.

– Kto następny? – zadudniła.

Tata zbladł lekko i zrobił krok do przodu.

– A, to pan, doktorze! – ucieszyła się dentystka. – Coś
dawno pana u nas nie było. Zajęty? Czy strach pana obleciał?
He, he! – zaśmiała się tubalnie.

– Ha, ha... – zawtórował jej Tata niepewnie.

– Pani Mariolu – rzuciła doktor Pieniążek przez ramię – karta do mojego gabinetu. Zobaczymy, co tym razem mamy do roboty...

Tata powlókł się smętnie za dentystką, a Basia poczuła, że strach pęcznieje w niej jak niedogotowana kluska. Mama sprawdzała po raz kolejny, czy nie przyszedł do niej jakiś ważny SMS, a Janek z Frankiem siedzieli na pomarańczowej kanapie i kolorowali obrazki ze smokiem Białym Ząbkiem, który zawsze grzecznie chodzi do dentysty. Basia usiadła przy nich i zaczęła dorysowywać smokowi wielkie dziury w białych zębiskach. Gdy z gabinetu wyszedł młody, ciemnowłosy doktor Pyrek, zajęta była zaczernianiem smoczych trzonowców.

Recepcjonistka na widok doktora zerwała się z krzesła i cała w uśmiechach zawołała:

– Panie doktorze, pacjenci czekają!

Doktor podszedł do kanapy i kucnął koło Basi.

– To jak? – spytał. – Przywitasz się ze mną?

Basia spojrzała na niego i nagle przypomniała sobie,
jaki miły jest jej dentysta. Uśmiechnęła się, a wtedy
doktor Pyrek zawołał:
– Jedynka ci się rusza! Genialnie!
Basia poczuła się bardzo, bardzo ważna i chociaż wciąż była
niespokojna, poszła do gabinetu bez protestów.
– Wskakuj! – zachęcił ją doktor i wskazał ogromny fotel.
Nacisnął guzik i Basia podjechała do góry, aż pod samą
lampę, a potem zjechała w dół, i znowu do góry – tym razem
na taką wysokość, żeby dentysta mógł bez problemu
obejrzeć jej zęby.

– Czy ja dobrze pamiętam – zagadnął – że umiesz otwierać paszczę jak najprawdziwszy krokodyl?

Basia otworzyła usta najszerzej, jak się dało.

– Och, przestań, bo zaczynam się bać! – krzyknął dentysta.

Basia zachichotała.

– A teraz, krokodylu – ciągnął doktor – sprawdzimy, co się dzieje z tym zębem... Zaraz, zaraz, który to był... – Dotykał po kolei Basiowych zębów, udając, że nie pamięta. – Ten? Nieee. A może ten? – Szarpnął lekko i... wyrwał ruszającą się jedynkę.

– Tak! To ten! – zawołał triumfalnie i pokazał Basi maleńki biały ząbek. – Chcesz go zatrzymać na pamiątkę?
Basia skinęła głową. Doktor Pyrek poprosił ją, żeby przepłukała usta, a potem zajął się chorą czwórką. Borowanie nie było miłe, bo łaskotało, a Basia nigdy nie lubiła plastikowej rurki do odsysania śliny, ale w końcu było po wszystkim. Czwórka Basi miała całkiem nową, pomarańczową plombę, akurat pod kolor pasty do fluoryzacji!
– Muszę powiedzieć... – doktor Pyrek ukłonił się nisko – że jesteś najdzielniejszym krokodylem, jakiemu miałem zaszczyt leczyć zęby. I myślę, że zdecydowanie należy ci się nagroda.

Sięgnął do szuflady i wyjął stamtąd pudło pełne skarbów: srebrnych ołówków, notesików z brokatem, puchatych kurczaczków z różowego futerka i breloczków z zatopioną muszlą. Basia długo nie mogła się zdecydować, wreszcie jednak wybrała plastikowy zegarek z odblaskowymi wskazówkami. Dentysta przykleił jej na bluzce naklejkę z wyszczerzonym smokiem i napisem „Dzielny pacjent". Basia zeskoczyła z fotela i pobiegła do poczekalni.

– Zobaczcie, co mam! – zawołała.

Pokazała braciom szczerbę, ząb, zegarek oraz naklejkę.

Doktor Pyrek sprawdził jeszcze zęby Janka i Franka,
a potem pomalował je pastą z fluorem. Franek początkowo
protestował i ugryzł dentystę w palec, ale uspokoił się,
kiedy dostał do ręki lusterko. Gwizdał później na wybranym
spośród nagród gwizdku, Janek wypróbowywał nowy
ołówek z gumką w kształcie jaszczurki, Basia raz po raz
spoglądała na zegarek, a Tata, który wyszedł z gabinetu
doktor Pieniążek, oglądał w wielkim lustrze swoje
wyleczone zęby. A potem ubrali się i wyszli na dwór.
I właśnie wtedy zadzwonił telefon Mamy.
– Tak? – rzuciła Mama do słuchawki. – Naprawdę?!
To wspaniale. Dziękuję!
Rozłączyła się i spojrzała na rodzinę roześmianym wzrokiem.
– Udało się! – zawołała. – Mój tekst został przyjęty.
Mam tę robotę.
– Jaką robotę? – Basia nic z tego nie rozumiała.
– Chyba powinnam was przeprosić – powiedziała Mama. –
Zachowywałam się ostatnio jak ostatni wredzioch.
– No, może nie ostatni... – Tata się uśmiechnął.

– W każdym razie niemiło. A wszystko przez to, że miałam
naprawdę ważne zlecenie, od którego zależało, czy dostanę
kolejną pracę. Tak się tym denerwowałam, że ze stresu
nie mogłam spać. Co nie zmienia faktu, że nie powinnam
była swoich nerwów wylewać na was. Przepraszam.

– Przynajmniej poszliśmy dzięki temu do dentysty – powiedział Tata.

– Nieprawda! – zaprotestowała Basia. – Do dentysty poszliśmy, bo ząb mi się ruszał!

I wyszczerzyła się, żeby wszyscy mogli zobaczyć jej piękną, nową szczerbę.

– Tak czy inaczej... – powiedziała Mama – proponuję, żebyśmy gdzieś się teraz wybrali. Należy nam się jakaś przyjemność.

Poszli do księgarni. A potem do sklepu, gdzie kupili
po nowiutkiej szczoteczce do zębów dla każdego.
Basia ściskała pod pachą książkę z bajkami, a w dłoni
szczoteczkę w kolorowe paski, podskakiwała na chodniku,
starając się nie nadeptywać na linie, i myślała, że wyprawa
do dentysty może być całkiem przyjemna. Nagle zatrzymała
się, bo coś jej przyszło do głowy.
– Mamo? – spytała. – Czy teraz, jak grzecznie poszliśmy
do dentysty, a ty masz dobry humor, możemy się znowu
kłócić?

Basia

i Dziadkowie

Pod koniec wakacji Basia zachorowała. Musiała leżeć
w łóżku i pić lekarstwo w syropie. Tata powiedział,
że to antybiotyk i że na pewno jej pomoże. Syrop był
obrzydliwy i Basi było wszystko jedno, czy jej pomoże
czy nie. Na dodatek lekarz zakazał jej wstawania, męczenia
się i biegania. A i tak najgorsze w tym wszystkim było to,
że właśnie wtedy, kiedy zaczęła się choroba, Basia miała
pojechać do Dziadka Henryka i Babci Krystyny - rodziców
Taty.

– Nie będę leżeć! – chrypiała Basia spod kołdry. – Macie
mnie tam zaaawieźć! A jak nie, to i tak wstanę i pojaaadę!

Wszystko mi jeeedno! Jankowi to dooobrze, wyjechał sooobie, a ja leżę tu sama i pewnie nigdy już nie zobaczę Dziaaadkaaa...

– Córeczko... – Mama położyła rękę na rozpalonej głowie Basi. – Wiem, że ci ciężko. Ale nie krzycz tak, bo to ci tylko zaszkodzi. Może chcesz, żebym ci poczytała? Albo zagramy w jakąś grę? A jak już będziesz zdrowa, na pewno coś wymyślimy, żebyś mogła zobaczyć się z Dziadkami. Może to oni nas odwiedzą?

– Niepraaawda... Sama słyszaaałam, jak mówiłaś do Taty, że musiałoby się nie wiem co wydarzyć, żeby zechcieli do nas przyjeeeechać!

Basia ukryła twarz w poduszce i zaniosła się głośnym płaczem.

Dzień później nadal była nieszczęśliwa
i obrażona na cały świat. Leżała twarzą do ściany,
z kołdrą naciągniętą na głowę i nie odpowiadała na pytania.
Nie poruszyła się nawet na dźwięk dzwonka do drzwi
wejściowych, chociaż zwykle pierwsza witała gości.
Po chwili drzwi do jej pokoju lekko skrzypnęły. Ktoś wszedł.
– Kogo ja widzę? – powiedział. – Czy to moja ulubiona
wnuczka leży w wymiętej pościeli? Zaraz, zaraz, jak jej było
na imię? Chyba Hortensja? Nie, Pelagia!
Basia ani drgnęła. To na pewno Tata się wygłupia, żeby ją
rozśmieszyć. Ale nic z tego! Nie miała ochoty na żarty.
– Nie Pelagia? – ciągnął ten ktoś. – W takim razie poddaję się.
– Basia – mruknęła Basia spod kołdry.
– Że też mogłem zapomnieć o czymś tak oczywistym!
A więc Basiu, czy myślisz, że mogłabyś uścisnąć swojego
zgrzybiałego Dziadka?

Basia wysunęła spod kołdry grzywkę i oczy. Spojrzała
w kierunku drzwi. Stał w nich Dziadek Henryk. Duży
i piegowaty, z łysiną i szerokim, zadowolonym z siebie
uśmiechem na twarzy.

– Nie masz na sobie żadnych grzybów, Dziadku – oznajmiła
oskarżycielskim tonem.

– Nie? – Dziadek był zdumiony. – Czy w takim razie
zechciałabyś uścisnąć swojego niezgrzybiałego Dziadka?
Basia odrzuciła kołdrę i wyskoczyła z łóżka. Świat nagle
wydał jej się piękny.

W tym momencie weszła Babcia. Szybkim spojrzeniem
ogarnęła pokój – skotłowane łóżko, uśmiechniętego Dziadka
i Basię stojącą na bosaka na podłodze.

– Witaj, Basiu – przywitała się krótko. – Henryku – ciągnęła –
czy mógłbyś jej nie rozbrykiwać? A ty, moja panno – zwróciła
się znowu do Basi – nie stój tak, tylko wskakuj do łóżka.
Leż spokojnie, zaraz przyniosę ci coś do picia i ciasto.
Basia posłusznie wróciła pod kołdrę. Babcia Krystyna
nie należała do osób, z którymi można było dyskutować.
Dziadek mrugnął do Basi i poszedł pomóc w rozpakowaniu
bagaży.

Ciasto Babci okazało się przepyszne. Basia zjadła dwa kawałki, co na chwilę poprawiło jej humor. Ale tylko na chwilę. Kiedy wrócił Dziadek, znowu była zła i nieszczęśliwa.

– Nic, tylko leżę i leżę – marudziła. – Pewnie już nigdy nie wstanę i w końcu umrę z nudów.

– A wiesz, co zawsze powtarza Babcia? – Dziadek zestawił na podłogę talerzyk po cieście i usiadł w nogach łóżka. Basia udawała, że wcale jej to nie obchodzi, ale kiedy milczenie Dziadka przedłużało się, nie wytrzymała.

– Co takiego?

– Mówi – uśmiechnął się Dziadek – że tylko nudni ludzie nudzą się sami ze sobą. Ona nigdy się nie nudzi. Zawsze znajdzie coś ciekawego do zrobienia.

– W łóżku nie da się robić nic ciekawego – oznajmiła z przekonaniem Basia.

- Chyba żartujesz?! - Dziadek aż podskoczył ze zdumienia. -
W takim fantastycznym łóżku po prostu nie można się
nudzić! Ono może być przecież wszystkim, czym tylko
zechcesz. Statkiem na rozszalałym morzu, bezludną
wyspą, ciężarówką przeprawiającą się przez busz...
- Domem myszki, która chowa się przed strasznym kotem! -
włączyła się Basia.
- ...jaskinią, w której szlachetny zbieg ukrywa się przed
dybiącymi na jego życie zbójami... - rozkręcał się Dziadek.
- Albo domem myszki, która chowa się przed strasznym
kotem - nie ustępowała Basia.
- Khem, tak, masz rację. Może być domem myszki,
jak najbardziej.
- A ty będziesz kotem! Tylko pamiętaj, że musisz być
naprawdę strrraszny!
Dziadek westchnął. Wyglądało na to, że nie pożegluje sobie
po wzburzonych wodach na okręcie z łóżka. Po chwili
skradał się na czworakach, przeraźliwie miaucząc
i wysuwając w kierunku Basi-myszki łapę zbrojną w kocie
pazury.
- Miauuu! Gdzie się schował mój obiadek? - zawodził.

Basia, nareszcie wesoła, wyskoczyła z łóżka i uciekła
przed kotem pod biurko. Bawili się w najlepsze, kiedy
do pokoju weszły Mama i Babcia.

Mama spojrzała z czułością na roześmianą Basię.

– Ci dwoje rozumieją się bez słów – szepnęła do Babci,
patrząc na teścia przemykającego w kierunku biurka.

– Nie powiedziałabym, żeby to było bez słów. Poza tym,
chociaż nie chcę się wtrącać, wydaje mi się, że Basia miała
leżeć, a nie biegać spocona i półgoła po całym pokoju. –
skomentowała Babcia. I dodała głośno: – Henryku! Wstań
z podłogi i chodź na obiad. Basia powinna trochę ochłonąć
po tym, jak się nią zaopiekowałeś.

Dziadek poszedł do kuchni, a Basia powlokła się do łóżka.
Z Babcią naprawdę nie było zabawy!

Wieczorem Dziadek przyszedł do Basi,
żeby przeczytać jej bajkę.
Bajka była dziwna, bo Dziadek
co chwilę przysypiał.
– Królewna spojrzała – czytał –
i wtedy… i wtedy
zobaczyła…

Basia wstrzymała oddech.

- tramwaj... zielony...

- Dziadku!

- Cococo... A, tak. Królewna spojrzała i wtedy...

- Henryku... - W drzwiach stanęła Babcia.
Jej głos był cichy i pełen troski: - Śpisz? Czy źle
się czujesz?

- Ja?! - Dziadek był oburzony. - Nie wiem, o czym
mówisz. Wcale nie śpię. I świetnie się czuję.
Basia spojrzała na Babcię. Dlaczego miała taki
dziwny wyraz twarzy? I dlaczego Dziadek kłamał
z tym spaniem? Przecież powinien wiedzieć,
że kłamać nie wolno.

- Tak czy inaczej, powinieneś się chyba położyć.
A ja dokończę Basi czytanie.
Dziadek wyszedł i Basia została z Babcią.
Babcia nie przysypiała i umiała zmieniać głos
tak, że każdy z bohaterów mówił inaczej.
Kiedy bajka się skończyła, pomodliły się razem,
a potem Babcia otuliła Basię kołdrą i pocałowała
w czoło - szorstko, ale z czułością. Basia zamknęła
oczy i po chwili już spała.

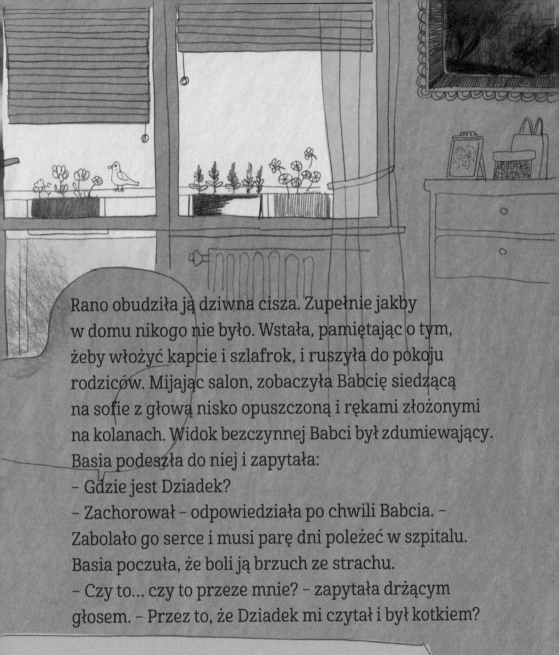

Rano obudziła ją dziwna cisza. Zupełnie jakby
w domu nikogo nie było. Wstała, pamiętając o tym,
żeby włożyć kapcie i szlafrok, i ruszyła do pokoju
rodziców. Mijając salon, zobaczyła Babcię siedzącą
na sofie z głową nisko opuszczoną i rękami złożonymi
na kolanach. Widok bezczynnej Babci był zdumiewający.
Basia podeszła do niej i zapytała:

– Gdzie jest Dziadek?

– Zachorował – odpowiedziała po chwili Babcia. –
Zabolało go serce i musi parę dni poleżeć w szpitalu.

Basia poczuła, że boli ją brzuch ze strachu.

– Czy to... czy to przeze mnie? – zapytała drżącym
głosem. – Przez to, że Dziadek mi czytał i był kotkiem?

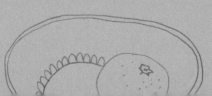

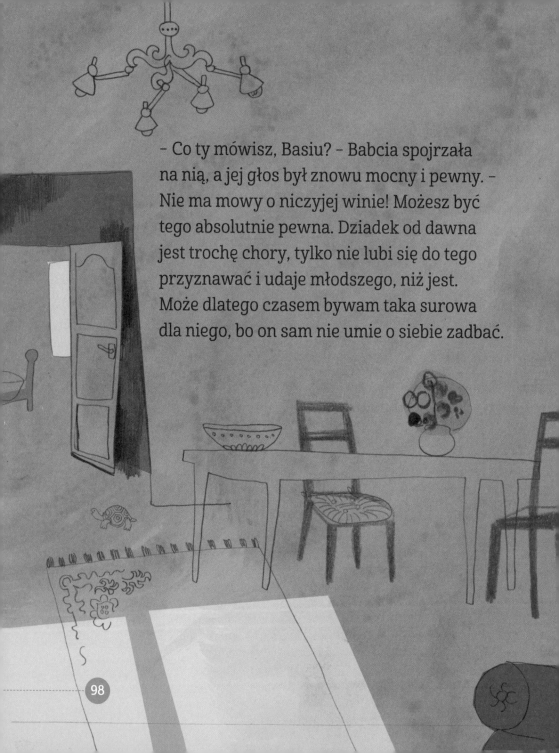

- Co ty mówisz, Basiu? - Babcia spojrzała
na nią, a jej głos był znowu mocny i pewny. -
Nie ma mowy o niczyjej winie! Możesz być
tego absolutnie pewna. Dziadek od dawna
jest trochę chory, tylko nie lubi się do tego
przyznawać i udaje młodszego, niż jest.
Może dlatego czasem bywam taka surowa
dla niego, bo on sam nie umie o siebie zadbać.

– A czy on... – Basia bała się, że jeśli powie to, co przyszło
jej do głowy, stanie się coś strasznego. Czuła jednak,
że musi to z siebie wyrzucić. Ta myśl była zbyt okropna,
żeby chować ją w sobie. – Czy Dziadek umrze?
– Nie, Basiu, nie umrze – powiedziała poważnie Babcia. –
W każdym razie nie teraz. Kiedyś, za wiele, wiele lat
na pewno, jak wszyscy. Ale teraz nie. Już za parę dni wróci
do nas zdrowy, tylko trochę słaby. I wtedy zaopiekujemy się
nim, najlepiej jak umiemy. Ty i ja. Twoje towarzystwo na
pewno pomoże mu szybciej wrócić do zdrowia – Babcia
przytuliła Basię mocno i pogłaskała ją po włosach.

Cały ten i następny dzień Basia spędziła na zmianę z Mamą
i Babcią. Pozwoliły jej wstać i chodzić po domu. Basia była
jeszcze słaba i czasem musiała się położyć na chwilę,
ale pomogła Babci w pieczeniu ciasteczek dla Dziadka.
Babcia powiedziała, że jest spokojniejsza, kiedy ma jakieś
zajęcie. Dziadek wrócił po dwóch dniach. Lekarz nie pozwolił
mu się przemęczać, więc zaraz po przyjściu do domu
położył się na kanapie w salonie.

– Witaj, ulubiona wnuczko – uśmiechnął się na widok
Basi. – Czy uściskasz swojego starego Dziadka?
Basia przytuliła się do niego, ciasno oplatając go rękami.
– Wcale nie jesteś stary – wymruczała mu w szyję. – Jesteś
w sam raz dziadkowy.
– Wygląda na to, że teraz ja będę się nudził.
– Coś ty, Dziadku! – oburzyła się Basia. – Kiedy ma się taką
fantastyczną kanapę, nie można się nudzić.
– Chyba chciałaś powiedzieć: kiedy ma się taką fantastyczną
wnuczkę! – odpowiedział Dziadek. – Obawiam się tylko,
myszko, że nie bardzo mam siłę, żeby być strasznym kotem.
– Jakim kotem?! – Basia wskoczyła na kanapę i podciągnęła
pod siebie nogi. – Czy nie widzisz, że jesteśmy
na okręcie? Ja będę kapitanem, a ty możesz być
chorym marynarzem. I nie bój się burzy,
Dziadku. Nie pozwolę nam utonąć!

Basia

i telewizor

W piątek padał deszcz. Od wakacji nie było chyba ani
jednego słonecznego dnia. Basia trzeci raz tej jesieni była
chora i znowu nie poszła do przedszkola. Rano Mama
puściła jej dwa filmy: o pluszowym piesku i o rysunkowym
słoniu, ale potem stanowczo zakazała dalszego siedzenia
przed telewizorem. Od tego czasu Basia snuła się po domu
ubrana w wełniane skarpetki i ciepły sweter narzucony
na piżamę. Ciągnęła za sobą Miśka Zdziśka, zaglądała
we wszystkie kąty i rozsiewała po nich zużyte chustki
do nosa. Weszła do kuchni. Mama siedziała przy stole
i stukała w klawisze laptopa. Obok niej stały rządkiem kubki
z resztkami niedopitej kawy. Basia wkręciła Mamie głowę
pod pachę.

- Mogę włączyć telewizor? - spytała.

Mama potargała Basi grzywkę nad czołem.

- Wolałabym nie - powiedziała. - Już i tak jesteś zmęczona i nic ci się nie chce, a od dalszego oglądania zrobi ci się tylko gorzej. Weź lepiej kartkę, siądź przy oknie i narysuj wszystkie rodzaje deszczu, jakie zobaczysz.

- Są tylko dwa - stwierdziła stanowczo Basia. - Jeden, kiedy dużo deszczy, i drugi, kiedy deszczy niedużo.

- Co ty mówisz? A oberwanie chmury, nawałnica, ulewa, kapuśniaczek, deszcz, który dżdży, mżawka... - wyliczała Mama.

Basia wzruszyła ramionami. Nie wyglądała na przekonaną.

- Proszę cię, córeczko, porysuj przez chwilę. Potem się tobą zajmę, ale teraz muszę wykorzystać to, że Franek śpi, i popracować.

Basia westchnęła i powlokła się do salonu. Zaczęła szukać kredek, gdy nagle zauważyła leżącego na stoliku pilota. Wzięła go i włączyła telewizor. Ściszyła dźwięk, żeby niepotrzebnie nie denerwować Mamy. Z ekranu zamigała do niej kolorowa reklama batoników i Basia od razu zrobiła się głodna. Klik. Zmieniła kanał. Tym razem pan w sztywnym garniturze zapewnił ją, że nad miasto nadciąga burza połączona z nawałnicą. Klik. Pani w białym sweterku zachwalała najlepszy na świecie wybielacz. Klik. Ubrana w same rajstopy i podkoszulek dziewczyna śpiewała o tym, że nikt jej nie rozumie. Klik. Z ekranu popłynęła rzewna melodia serialowej piosenki o nieszczęśliwej służącej Marii Celebes zakochanej w Estebanie – synu pracodawcy. Basia otuliła się ciasno kocem i zaczęła oglądać.

Pół godziny później Mama oderwała wzrok od monitora.
Zapisała plik, przeciągnęła się i wstała, żeby zobaczyć,
co robi Basia...

Maria Celebes rzuciła się w rozpaczy na fotel.
– Muszę odejść z tego domu! – łkała, wycierając umalowane oczy rąbkiem fartuszka.
Esteban stanął w progu i spojrzał na nią spod grzywy blond włosów.
– Bez mojej zgody, Mario? – rzucił władczo i sięgnął do kieszeni prążkowanego garnituru.

Mama podeszła do telewizora i wyłączyła go jednym stanowczym ruchem.

– Córeczko, czy możesz mi wyjaśnić, co robisz? – spytała. – Miałaś rysować.

– Jeszcze tylko minutkę! – zawołała Basia, nie odrywając wzroku od czarnego ekranu. – Muszę się dowiedzieć, co było dalej!

– Basiu... – Mama usiadła obok niej na kanapie. – To nie jest film odpowiedni dla ciebie.

– Zuzia ogląda wszystkie odcinki. A ja...

– A ty nie – odpowiedziała spokojnie Mama. – I nie podoba mi się, że włączyłaś telewizor, chociaż prosiłam, żebyś tego nie robiła.

– Wy z Tatą oglądacie, kiedy my z Jankiem idziemy spać! – zdenerwowała się Basia.

– Czasem oglądamy, a czasem nie – uśmiechnęła się Mama. – Zupełnie jak ty. Nie ma nic złego w oglądaniu. Lepiej tylko zwracać uwagę na to, co się ogląda i czy przypadkiem

telewizor nie zaczyna zastępować wszystkiego innego:
rysowania, rozmowy, zabawy, czytania...

– Ja tylko chciałam się dowiedzieć, co stanie się z Marią...

– To nie jest film dla pięcioletnich Baś, córeczko. A nawet
gdyby był, i tak z jednego odcinka niczego byś się nie
dowiedziała. Obejrzałabyś więc następny i jeszcze następny,
a potem już nie mogłabyś przestać.

– I co z tego? – Basia spojrzała na Mamę ponuro. – Siedzia-
łabym sobie i oglądała, i przynajmniej miałabym co robić.

– Jeśli szukasz zajęcia, moja Basiu Celebes, chętnie ci pomogę.
Co powiesz na wspólne przygotowanie obiadu? Zrobimy
ciasto na deser i będziesz mogła obsłużyć malakser.

Basia odwróciła się od Mamy i nakryła głowę kocem.

– Nie mogę pracować – wymruczała w oparcie kanapy. –
Przecież jestem chora.

– W takim razie musisz się chyba jak najszybciej położyć –
uśmiechnęła się Mama.

Wzięła Basię za rękę i odprowadziła ją do pokoju.

Resztę dnia Basia spędziła w łóżku. Bolała ją głowa
i miała wszystkiego dość. W nocy źle spała. Za oknem
szalała nawałnica. Strumienie wody lały się z nieba
i uderzały o blaszany parapet. Błyskawice rozświetlały
niebo, a coraz bliższe grzmoty spadały na okoliczne domy.
Basia przewracała się z boku na bok. Śniła o Marii Celebes
tańczącej w samych rajstopach i podkoszulku. Z nieba padał
na nią kapuśniak z kiełbasą i kminkiem, a Esteban krzyczał:
„Musisz być moja!" I wyciągał przed siebie ręce, w których
trzymał batonik i butelkę z wybielaczem. Huknęło.
Czy to Maria Celebes spadła z łóżka?
Basia zachrapała i przekręciła się na drugi bok.

Obudziła się wcześnie rano, kiedy wszyscy jeszcze spali.
Wyjrzała przez okno. Oho! Przestało padać! Wstała
i na palcach, żeby nikogo nie obudzić, ruszyła w kierunku
salonu.

– Nie robimy nic złego – szepnęła Miśkowi Zdziśkowi
do ucha. – Dziś nie oglądaliśmy jeszcze telewizji, więc jak
teraz włączymy, to nie będzie za dużo oglądania, prawda?
Weszła do salonu, sięgnęła po pilota i nacisnęła czerwony
przycisk. Nic się nie stało. Ekran pozostał czarny i milczący.
Cisnęła pilota na ziemię i pobiegła z powrotem do łóżka.
Na śniadanie przyszła spóźniona i milcząca. Siadła za
stołem i bez słowa sięgnęła po kubeczek z jogurtem.

– Kto chce jajecznicę? – zapytał Tata. – Grzanek nie będzie,
bo popsuł się opiekacz. Nie wiem jak wy – dodał – ale ja idę
dziś na spacer. Mam tylko nadzieję, że nie zacznie znowu lać.
Zerknął na zegarek i drewnianą łyżką zamieszał jajka
na patelni.
– Janku – poprosił. – Skocz do salonu i włącz telewizor.
Za chwilę powinna być prognoza pogody.
Basia skuliła się na krześle. Udawała, że jej nie ma.
– O nie, nie – zaprotestowała Mama. – Nie w czasie
śniadania.
– Tak jest, proszę Pani – uśmiechnął się Tata i wykonał
głęboki ukłon, z drewnianą łyżką wzniesioną nad głową.
– Bardzo śmieszne – skomentowała Mama, ale też się
uśmiechnęła.

A potem jedli śniadanie, gadali, śmiali się i wygłupiali. Mama opowiadała o swojej pracy, Tata pokazywał na plasterkach żółtego sera, jak fachowo założyć duży opatrunek na ranę po oparzeniu, Janek wciąż prosił o kolejne dokładki i mówił z pełnymi ustami, a Franek, kiedy nikt nie patrzył, wylał na stół mleko i moczył w nim kawałki chleba. Tylko Basia milczała nad swoim nietkniętym jogurtem. Po skończonym śniadaniu sprzątnęli ze stołu, Mama wstawiła wodę na drugą herbatę, a Tata poszedł do salonu, żeby włączyć telewizor.

– Co jest?! – zawołał po chwili. I: – A niech to... Tośku! Telewizor szlag trafił!

– To nie ja – pisnęła Basia.

– Co nie ty? – zainteresowała się Mama.

Tata wszedł do kuchni i położył pilota na stole.

– Wygląda na to – powiedział – że będziemy musieli poradzić sobie bez telewizora.

– Ja tylko nacisnęłam ten czerwony guziczek – szepnęła Basia, ale nikt nie zwrócił na nią uwagi.

– To przez burzę – mówił Tata. – Piorun musiał trafić w piorunochron i spalił nam część sprzętów. Trzeba sprawdzić wszystko, co było w nocy podłączone do prądu. Mama złapała się za głowę i wybiegła z kuchni, a Tata ciągnął:

– Obawiam się, że teraz przez jakiś czas nie będzie oglądania filmów, meczy – Janek jęknął – wiadomości i dobranocek. Przynajmniej do czasu, aż uda się nam naprawić ten lub kupić jakiś inny telewizor...

Basia nie słuchała. To nie ja zepsułam telewizor! –
powtarzała w myślach. – To nie ja zepsułam telewizor!
Czuła tak wielką ulgę, że miała ochotę tańczyć i śpiewać.
Kiedy do kuchni weszła załamana Mama z wiadomością,
że spalił jej się zasilacz do laptopa, Basia nie siedziała
już smętnie na krześle. Popatrzyła przez chwilę
na zdenerwowanego Tatę, na Janka, wściekłego, że nie

będzie mógł obejrzeć środowego meczu, i na zmartwioną
Mamę ze spalonym zasilaczem w ręku. A potem poszła
do swojego pokoju. Przepełniała ją chęć czynu.
Godzinę później w salonie stanęła dziwna konstrukcja:
ogromne kartonowe pudło z wyciętym prostokątnym
otworem i narysowanymi obok niego kolorowymi guzikami.
Basia - elegancko ubrana i uczesana - biegała od pokoju
do pokoju i zwoływała rodzinę. Przyszli niechętnie,
bo każdy zajęty był własnymi troskami: Mama wydzwaniała
do czynnych w soboty sklepów ze sprzętem komputerowym,
Tata grzebał w zepsutym opiekaczu, a Janek leżał na łóżku
i oddawał się rozpaczy.

– Co to za śmieci? – zapytał na widok pudła w salonie. Basia usadziła go obok rodziców i wręczyła każdemu po krzywo wyciętym z kartonu prostokącie.

– To piloty – poinformowała. – Trzy, na wypadek gdyby któryś się zepsuł. Możecie włączyć telewizor.

Janek prychnął pogardliwie, ale nakierował kartonik w stronę pudła.

– No, i co? – zapytał z krzywym uśmieszkiem na twarzy. Basia szybciutko przebiegła w stronę kartonowego telewizora.

– Dzień dobry Państwu – zwróciła się prosto do widzów zgromadzonych na kanapie. – Zapraszam na nowy program. Każdy może zamówić, co chce: pogodę (pokazała w otworze pudła kartkę z krzywo namalowanym słońcem i wielką czarną chmurą), mecz (wystawiła przez otwór piłkę), serial (ubrany w różową sukienkę z falbankami Misiek

Zdzisiek pomachał widzom wyliniałą łapą) lub dobranockę
(– Bła, bła! – rozległo się gruchanie ukrytego za kartonem
Franka).

– To prawdziwa telewizja interaktywna – zaśmiał się Tata. –
Idziemy z duchem czasu!

Mama podniosła rękę.

– Ja poproszę o serial, ale mam pytanie. Czy mogłabym
w nim także zagrać?

Basia zmarszczyła czoło.

– Chyba tak – zdecydowała w końcu.

– To ja w takim razie chcę wziąć udział w meczu – zgłosił się
Janek.

– A ja przygotuję program kulinarny – ucieszył się Tata
i spojrzał porozumiewawczo na Mamę.

Przez resztę dnia układali szczegółowy program
telewizyjny, szykowali stroje do serialu (Misiek
Zdzisiek jako Basia Celebes, Tata jako Esteban, Mama
jako zła dziedziczka), trenowali zwody i strzały do bramki
(Janek), szykowali eksponaty do programu o gotowaniu
(Tata i Basia, która przy okazji zjadła zdecydowanie za dużo
i rozbolał ją brzuch) i obserwowali wszystko, co się dzieje
(Franek). Nawet nie zauważyli, kiedy nadeszła pora obiadu.

Następnego dnia Janek zarządził powtórkę, a kiedy tydzień później Tata w końcu kupił telewizor – używany, ale trochę większy i trochę bardziej płaski od poprzedniego – cała rodzina uznała, że będzie fantastycznym tłem do najnowszej serii o Basi Celebes. Miał idealny kształt i wielkość do tego, żeby zawiesić na nim dekoracje!

Basia

i telefon

Basia została zaproszona do kuzynki Luli na imieniny. Zaproszenie w kształcie tortu przyszło pocztą, w dużej niebieskiej kopercie z balonikiem.

- Phi! - prychnął Janek, który nie został zaproszony. - Na pewno będą wielkie nudy, a tort będzie obrzydliwy.

- Nieprawda! - wrzasnęła Basia. - U cioci Marty są najlepsze torty na świecie!

- I tak nie zjesz dużo, bo będziesz musiała uważać, żeby nie upaćkać najlepszej sukienki.

- A właśnie, że nie będę musiała! - Basia tupnęła. - Pójdę w dresie i będę paćkała, ile tylko zechcę! Zobaczysz!!!

Dwa dni później Basia stała przy drzwiach wyjściowych w najlepszym ze swoich dresów.

- Jesteś pewna, że nie chcesz włożyć sukienki? - spytała Mama.

Basia pokręciła głową. Włożyły więc ciepłe kurtki i wyszły na mróz, ściskając w rękach owinięte w kolorowy papier książkę i pudełko z farbami.

Drzwi otworzyła im pachnąca perfumami elegancka
ciocia Marta.

– Wejdźcie, kochane – powiedziała i uśmiechnęła się.
Mama spojrzała krytycznie na swoje uwalane śniegiem
ciężkie buty i na brudnawą puchówkę Basi. Westchnęła
i weszła do jasnego przedpokoju.

– Alicjo! – zawołała ciocia. – Goście!
Ubrana w zwiewną sukienkę i zamszowe balerinki Lula
zbiegła lekko ze schodów. Basia patrzyła spode łba
na jej błyszczące rajstopki i kokardkę z tiulu wpiętą
we włosy. Ciocia objęła Mamę i – jak sama powiedziała –
„porwała ją do kuchni na pogaduchy", a Basia powlokła się
za kuzynką do jej olśniewającego pokoju.

Pośród kolorowych pufów i zupełnie niezniszczonych
zabawek siedziały koleżanki Luli - wszystkie wystrojone
i starsze od Basi o jakieś dwa lata.
– To moja kuzynka Ba - przedstawiła Basię Lula. - Chodzi
jeszcze do przedszkola.
Basia poczuła nagłą chęć rozwalenia czegoś. Nie powiedziała
ani słowa, tylko ciężko usiadła na futrzanym pufie.

Tymczasem Lula i jej koleżanki zajęły się oglądaniem
imieninowych prezentów. Czego tam nie było! Drewniana
arka Noego, album naklejek z kotkami, miniaturowy domek
dla tyciej laleczki, zestaw odblaskowych długopisów,
a przede wszystkim... prawdziwy telefon komórkowy
z malinową klapką i dzwoniącą figurką misia pandy.
– Papa mi go podarował, żebym mogła go zawiadomić,
gdy lekcje się skończą albo gdybym potrzebowała wyjść
wcześniej z baletu – wyjaśniła Lula.
– Masz w nim gry? – spytała Madzia, którą Basia pamiętała
z tańców.
– Jasne! – Lula otworzyła telefon, żeby pokazać zestaw
najnowszych gier.

– Słodki jest – powiedziała Kasia, najlepsza przyjaciółka Luli. – Chociaż taki mały.

– Specjalnie prosiłam o taki – wyjaśniła Lula.

– Małe są super – potwierdziła Madzia. – A ty... – zwróciła się do Basi – jaki masz telefon?

– Ja? – Basi stanął przed oczami jej zabawkowy telefon zrobiony z drewnianego klocka, na którym Janek narysował długopisem klawisze. – Ja... normalny, telefonowy – wybąkała.

– Pfff... – prychnęła Kasia. – Pewnie nie masz żadnego, bo jesteś za mała.

– A właśnie, że mam! – Basia mocno się zaczerwieniła. – Od dawna mam, bo... bo Tata powiedział, że mam dzwonić, jak... jak on wyjeżdża na korfe... nencje. I on jest ogromny, i... i cały w paski!

- Tata w paski? Ha, ha, ha! –
zaśmiała się Madzia, a pozostałe
dziewczynki zachichotały.

- W paski? Akurat! - powiedziała Kasia. – NIE MA telefonów
w paski!

- A właśnie, że są! - krzyknęła Basia. – Mój jest calutki
w paski, a wy się nie znacie!

- Co jest w paski? - spytała ciocia Marta.
Stała w progu z tacą wypełnioną ciasteczkami. Tuż za nią
Basia zobaczyła Mamę.

- Telefon Ba jest w paski – wyjaśniła Lula.

– Naprawdę? – Ciocia odstawiła tacę na niski stolik, podeszła do Basi i potargała jej grzywkę. – Też bym chciała mieć pasiasty telefon. A teraz bawcie się ładnie. Za chwilę będzie nawlekanie koralików, a potem tort.

Ciocia wyszła. Basia usłyszała jeszcze jej głos na schodach.

– Nie wiedziałam, że Ba ma telefon – mówiła do Mamy. – Kiedy ostatnio rozmawialiśmy, zdawało mi się, że Jacek jest przeciwny kupowaniu dzieciom telefonów.

Basia nie usłyszała odpowiedzi, ale pomyślała, że do końca wizyty nie przełknie nawet jednego ciasteczka. Na samą myśl o torcie robiło jej się niedobrze.

Reszta imienin upłynęła Basi jak we śnie. Nawlokła sznurek korali pod okiem specjalnie wynajętej pani, dała sobie wymalować na twarzy motylka, chociaż tak naprawdę wolałaby tygrysa, nadgryzła jedno ciasteczko i patrzyła,

jak Lula i jej koleżanki wysyłają SMS-y
z pozdrowieniami do wuja Kocia
i bawią się grami w nowym
telefonie. Po dwóch godzinach
w pokoju Luli zjawiła się Mama.
– Basiu, musimy już iść – powiedziała.
I poszły.

Śnieg padał cicho na chodnik i ulicę, osiadał na drzewach, samochodach i na czapce Mamy. Basia brnęła w nim bez słowa. Mama też milczała.

– Mamo... – szepnęła Basia, gdy cisza wydała jej się już nie do zniesienia.

– Tak, Basiu...

– Nic.

I szły dalej, a śnieg padał i padał, z każdą chwilą coraz cięższy i gęstszy. W pewnym momencie Mama nagle skręciła. Basia uniosła głowę. Stały przed ulubioną księgarnio-kawiarnią Mamy. Ze środka padał na ciemną ulicę złoty blask lamp.

– Wejdziemy? – spytała Mama.

Basia skinęła głową.

W środku było jasno i przytulnie. Pachniało książkami, czekoladą i świeżo zmieloną kawą. Mama usadziła Basię w fotelu i podeszła do kasy, żeby zamówić espresso dla siebie i gorącą czekoladę dla Basi. Przyniosła im też do stolika stos książek. Piły przez chwilę i przeglądały książki, a kiedy w filiżance nie było już nawet kropelki kawy, Mama spytała:

– To jak, Basiu? Chciałabyś mieć telefon, tak?

Basia zaczerwieniła się mocno.

– A co, nie wolno?! – spytała.

– Pewnie, że wolno – powiedziała Mama. – Trudno zabronić komuś chcenia. Ja na przykład chciałabym mieć nowszy komputer. Widziałam ostatnio taki naprawdę przepiękny. Srebrny i płaski... A do tego lekki, idealny do podróży. I z o wiele większą pamięcią niż ten, który mam.

– Kupisz go? – Basia niepewnie zerknęła na Mamę.

– Na razie nie. Mój stary laptop jest wciąż dobry i świetnie mi służy. Chociaż, kiedy zobaczyłam, że ciocia Marta ma dokładnie taki, jaki mi się marzy, przez chwilę poczułam, że chciałabym go mieć już teraz, zaraz. Doskonale rozumiem, że można czegoś bardzo chcieć tylko dlatego, że ma to ktoś inny.

Basia spuściła wzrok, nagle bardzo zajęta wciąganiem przez słomkę czekolady.

– Źle jest jednak – ciągnęła Mama – jeśli przez takie chcenie zaczyna się kłamać. Kłamstwo nas niszczy i zawsze źle się

kończy. A przecież to żaden wstyd, że się czegoś nie ma. Zwłaszcza jeśli jest to coś niepotrzebnego.

– Ja potrzebuję telefonu – powiedziała Basia. – Ten klockowy do niczego się nie nadaje. Nie dzwoni, nie ma klapki i nie można na nim pisać SMS-ów.

– Widziałam, jak wczoraj udało ci się wysłać jeden do Miśka Zdziśka.

– Eee tam... – Basia wzruszyła ramionami. – Lula ma PRAWDZIWY telefon i może pisać do wujka PRAWDZIWE SMS-y!

– Wuj Kocio dużo pracuje i Lula często nie widuje go całymi dniami. A ty codziennie bawisz się z Tatą i robicie wspólnie masę ciekawych rzeczy.

– Lula może napisać wujkowi, żeby przyjechał po nią wcześniej na balet!

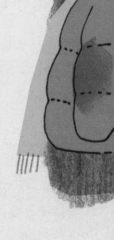

- Jest starsza od ciebie, Basiu - przypomniała Mama -
i kończy zajęcia o różnych porach. Telefon może być
w takich sytuacjach naprawdę przydatny. My na balet
chodzimy razem. I zawsze wracamy piechotą.

- Telefon Luli ma gry - Basia nie dawała za wygraną. -
I jest jak lody malinowe. Ma breloczek. A kiedy Lula pisze
na klawiaturze, to SMS OD RAZU dochodzi do wujka... -
Zamyśliła się na chwilę, jakby nagle coś przyszło jej
do głowy. - Jak on dochodzi, Mamo? - spytała. - Przecież
nie ma nóg!

- Kto nie ma nóg? SMS?

Basia skinęła głową.

- Tak się tylko mówi - wyjaśniła Mama. - Jak o listach.
O liście też powiesz, że doszedł, chociaż tak naprawdę
został przyniesiony przez listonosza.

- A SMS-y kto przynosi? Esemesonosz?

Mama roześmiała się.

- SMS-y są przenoszone przez fale, ale nie wodne, jak
na morzu, tylko radiowe, w powietrzu. Robi się jednak
późno i my też musimy się przenieść. Do domu.

- Na falach, jak SMS-y?! - Basia zachichotała.

- Myślę, że raczej użyjemy nóg - powiedziała Mama
i pomogła Basi zapiąć kurtkę.

Wyszły z księgarni i ruszyły w stronę domu. Przestało padać, latarnie rzucały łagodne światło na białe pagórki samochodów i kopczyki śniegu na drzewach. Nagle zadzwonił telefon.

– Halo! – powiedziała Mama, gdy wreszcie udało jej się wydłubać komórkę z torebki. – Tak, Jacku, już idziemy. Wskakujemy do autobusu i będziemy dosłownie za chwilę.

– Widzisz, Mamo! – krzyknęła Basia, gdy Mama się rozłączyła. – Tata ma prawdziwy telefon i jak dzwoni, to go słyszysz! A Misiek Zdzisiek może sobie dzwonić i dzwonić, a ja i tak go nie usłyszę!

– Mamy autobus! – zawołała Mama. – Biegnijmy!
Złapała Basię za rękę i pognały na przystanek.

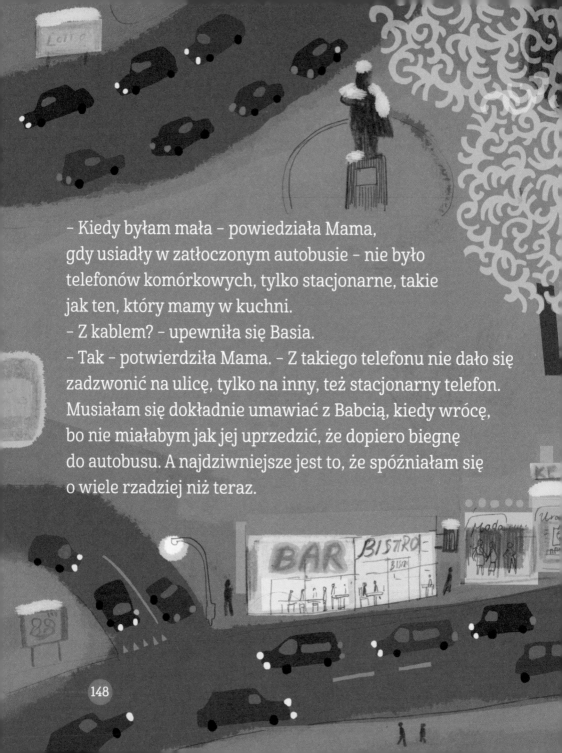

– Kiedy byłam mała – powiedziała Mama,
gdy usiadły w zatłoczonym autobusie – nie było
telefonów komórkowych, tylko stacjonarne, takie
jak ten, który mamy w kuchni.

– Z kablem? – upewniła się Basia.

– Tak – potwierdziła Mama. – Z takiego telefonu nie dało się
zadzwonić na ulicę, tylko na inny, też stacjonarny telefon.
Musiałam się dokładnie umawiać z Babcią, kiedy wrócę,
bo nie miałabym jak jej uprzedzić, że dopiero biegnę
do autobusu. A najdziwniejsze jest to, że spóźniałam się
o wiele rzadziej niż teraz.

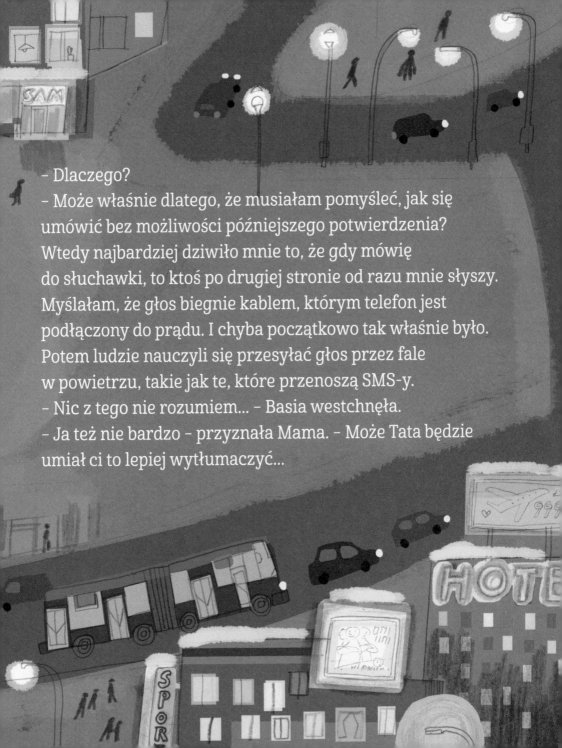

– Dlaczego?

– Może właśnie dlatego, że musiałam pomyśleć, jak się
umówić bez możliwości późniejszego potwierdzenia?
Wtedy najbardziej dziwiło mnie to, że gdy mówię
do słuchawki, to ktoś po drugiej stronie od razu mnie słyszy.
Myślałam, że głos biegnie kablem, którym telefon jest
podłączony do prądu. I chyba początkowo tak właśnie było.
Potem ludzie nauczyli się przesyłać głos przez fale
w powietrzu, takie jak te, które przenoszą SMS-y.

– Nic z tego nie rozumiem... – Basia westchnęła.

– Ja też nie bardzo – przyznała Mama. – Może Tata będzie
umiał ci to lepiej wytłumaczyć...

Tata bardzo się przejął misją wyjaśnienia, jak działają fale radiowe. Rozłożył na stole kuchennym encyklopedię, włączył komputer i zaczął rysować na kartkach z bloku skomplikowane wykresy pokazujące maszty telefoniczne i rozchodzenie się fal w powietrzu. Mamrotał przy tym pod nosem, skreślał coś ciągle i poprawiał. Wyglądał, jakby się świetnie bawił. Basia przyglądała mu się przez chwilę, a potem wyszła na palcach z kuchni i pobiegła do Janka.

– U Luli było okropnie – powiedziała. – Zagramy w coś? Zagrali w chińczyka, w karty i w „Łap kolory". A potem trzeba było iść do łóżka.

Basia leżała pod kocem, przytulona do Miśka Zdziśka, i rozmyślała o całym długim dniu.

– Jak będziesz grzeczny – szepnęła Miśkowi do ucha – pomaluję ci jutro telefon na malinowo i opowiem bajkę o falach, po których biegają SMS-y. A teraz już śpij, bo jest okropnie późno.

I Misiek Zdzisiek zasnął, a Basia razem z nim. Przyśnił jej się malinowy telefon z nogami, tańczący wśród płatków śniegu i morskich fal pod rozgwieżdżonym niebem.

Basia

i moda

W sobotę rano Mama zarządziła sprzątanie.

– Czas oczyścić dom z niepotrzebnych rzeczy – oznajmiła. Ściągnęła z pawlacza pudła i zaczęła przeglądać zimowe ubrania. Wyjmowała kombinezony, kaski narciarskie i rękawiczki i odkładała je na wielkie sterty na środku podłogi. Franek wyciągnął z nich rękawiczki i włożył na stopy. Basia wygrzebała z jednego z pudeł obszyte futerkiem, różowe buty na plastikowych obcasach, koronkową bluzkę Mamy, kapelusz z wyblakłym sztucznym kwiatkiem i złotą kurtkę ze skaju. Przebrała się i stanęła przed lustrem.

– Jestem piękna! – oznajmiła stanowczym głosem. – Piękna i modna.

– Chyba żartujesz! – prychnął Janek. Siedział na stosie szalików w za dużym kasku Taty na głowie i patrzył krytycznie na siostrę. – Wyglądasz po prostu śmiesznie!

– Mamo, on mnie przezywa! – poskarżyła się Basia. – Powiedz mu coś!

– Janku, mówię ci coś – powiedziała Mama nieuważnie.
Grzebała w stosie kombinezonów i mamrotała coś
pod nosem ze zmarszczonym czołem. Tata jakiś czas
wcześniej wycofał się strategicznie do kuchni.
– Mamo, powiedz mu, że pięknie wyglądam! –
dopominała się Basia.
– Pięknie wyglądasz, tak, tak... – mruknęła Mama.
Podniosła z podłogi niebieski kombinezon, sprawdziła
metkę i westchnęła. – To niesamowite. Mamy tyle rzeczy,
a żadna nie jest we właściwym rozmiarze.
– Wcale na mnie nie patrzysz! – krzyknęła Basia.
Mama spojrzała na nią.
– Co ty na siebie włożyłaś, Basiu? – spytała.
– A nie mówiłem! Wyglądasz śmiesznie! –
triumfował Janek.

Basia zdjęła kapelusz i cisnęła nim w brata.

– Nie cierpię cię! Nie cierpię was wszystkich! –
wrzasnęła.

Tata wystawił głowę z kuchni.

– Czy ktoś ma ochotę na kakao? – spytał.

– Mam inny pomysł – odpowiedziała Mama. – Zawieziesz
Janka do Antka, a Basię weźmiesz na zakupy. Przejrzałam
wszystkie zimowe kurtki i spodnie i nie znalazłam nic
w odpowiednim rozmiarze. Ja skończę segregowanie,
a wy w tym czasie kupicie dla Basi strój na narty.

Basia uśmiechnęła się i poprawiła kołnierz złotej kurteczki.
Zapowiadała się wspaniała sobota!

W centrum handlowym panował weekendowy tłok.
Tata krążył po podziemnym parkingu i bezskutecznie
usiłował znaleźć wolne miejsce.
– Nigdy się nie zatrzymamy – marudziła Basia. –
Już zawsze będziemy tak jeździć i jeździć w kółko!

W końcu jednak udało im się wcisnąć między srebrnego mercedesa i czerwone audi.
– Gdzie idziemy najpierw? – spytała Basia, gdy jechali w górę ruchomymi schodami. – Na lody?

- Lody zjemy na samym końcu, jak uda nam się wszystko załatwić. Na razie skupmy się na kombinezonie. - Tata uśmiechnął się i wziął Basię za rękę. - Trzymaj się mnie mocno, bo strasznie tu dziś dużo ludzi.

Rzeczywiście, wyłożonymi marmurem korytarzami pędziły tłumy zaaferowanych kupujących. Niektórzy jedli coś, inni przystawali na chwilę przed wystawami, obładowani torbami z już kupionymi rzeczami. Basia dreptała obok Taty i rozglądała się wokół ciekawie.

- Telefony, majtki, buty, rajstopy, herbata - wyliczała, gdy mijali kolejne wystawy. - Buty, książki, lampy, majtki... Po co ludziom tyle majtek, Tato?

- Hm... - Tata podrapał się po głowie z zakłopotaniem. - Są... dosyć potrzebne, nie uważasz?

- Cześć, Baśka! - zawołał nagle ktoś z tyłu.

Basia obróciła się i stanęła twarzą w twarz z Zuzią.

– Widzę, że państwo też wybrali się na zakupy. – Mama Zuzi spojrzała na Tatę i odruchowo poprawiła fryzurę.

– Idziemy kupić Basi kombinezon na zimę – powiedział Tata.

– My właśnie też chcemy kupić parę rzeczy. Dziewczynki tak szybko rosną, nie uważa pan?

– No, tak. Rzeczywiście – potwierdził Tata.

- I są takie uparte, jeśli chodzi o ubrania. Moja Zuzia nie włoży niczego z zeszłego sezonu. Śmiejemy się z mężem, że mała wie lepiej od nas, co się teraz nosi. Ha, ha, ha!
- Ha, ha - zaśmiał się Tata.
- Przejdźmy się razem - zaproponowała mama Zuzi. - Dziewczynki będą mogły sobie porozmawiać, a my na pewno znajdziemy dla nich coś ciekawego. Tata spojrzał na Basię, pogrążoną w rozmowie z koleżanką.
- Może to rzeczywiście dobry pomysł - zgodził się.

Weszli do wskazanego przez Zuzię sklepu. Na wieszakach wisiały niezliczone pary legginsów z koronką i kokardkami, falbaniaste spódniczki i bluzki z brokatowymi napisami. Basia szła za Zuzią, która ściągała z wieszaków kolejne rzeczy, żeby wziąć je do przymierzalni.

- Ty nic nie bierzesz? - spytała Basię.

- Przyszliśmy po kombinezon - przypomniał Tata.

- Och, tak się tylko mówi. - Mama Zuzi uśmiechnęła się z pełnym zrozumieniem. - Przecież jedna czy dwie dodatkowe rzeczy nikomu nie zaszkodzą.

Tata wziął Basię za rękę.

- Idziemy - powiedział.

Basia jednak nie ruszyła się z miejsca. Stała jak wmurowana przed stojakiem, na którym wisiały spódniczki z tiulu i haftowane cekinami, różowe bluzki z królikiem.

– Nie chcę kombinezonu – oznajmiła. – Chcę bluzkę
z Królikiem Kicusiem. Zuzia ma aż trzy!

– Innym razem, Basiu. Na razie musimy kupić kombinezon.
Pamiętaj, że już niedługo jedziemy na narty. Chodźmy
do sklepu sportowego, tam na pewno będzie większy wybór
zimowych ubrań.

Basia spojrzała na Tatę. Nie wyglądało na to, żeby miał
ustąpić. Powlokła się więc za nim z ponurą miną.

– Nigdy nic mi nie kupujecie. Nic a nic – mówiła.

– Rozchmurz się, Basiu. Za chwilę kupimy kombinezon.
A potem lody!

– Nie chcę lodów. Chcę bluzkę z Królikiem. Wszyscy
w przedszkolu mają coś z Kicusiem, tylko ja nie.

– A czy to fajnie mieć takie same rzeczy jak wszyscy? –
spytał Tata. – Niedobrze jest ulegać nakazom mody, Basiu –
ciągnął. – Moda człowieka zniewala, sprawia, że ludzie
chcą rzeczy, których wcale nie potrzebują. A czasem
w ogóle nie wiedzą, czego chcą.

– Ja wiem, czego chcę – powiedziała Basia. – Chcę Królika
Kicusia!

– Zobacz, doszliśmy do sklepu. – Tata zmienił temat.
Wszedł i rozejrzał się.

– Czy mogę w czymś pomóc? – Usłużny sprzedawca
w sportowej koszulce pojawił się przed nimi z uśmiechem. –
Może zainteresuje pana nasza oferta promocyjna. Mamy
przecenę na męskie obuwie sportowe. Jest to absolutnie
wyjątkowa okazja, żeby kupić pełnowartościowy towar
po naprawdę okazyjnej cenie. – Sięgnął do stojącego obok
stołu i sprawnym ruchem wysupłał z pudełka buty
z czerwonego zamszu. – Proszę zwrócić uwagę
na elastyczność podeszwy, wykonanej ze specjalnej
termoutwardzalnej gumy, oraz na sznurowadła z czterech
splotów. Do każdej pary dodajemy jedne sznurowadła
w kontrastowym kolorze gratis.

Tata patrzył na czerwone buty jak zaczarowany.
Sięgnął po nie i sprawdził, czy podeszwa jest rzeczywiście
tak elastyczna, jak zachwalał sprzedawca.

– Mówi pan, że są naprawdę wytrzymałe? – spytał.

– Lepszych pan nie znajdzie. Nie mówiąc już o tym,
że to ostatni krzyk mody.

– Cena jest naprawdę dobra...

– Musi się pan szybko decydować, bo zostały nam już
tylko trzy pary.

– Zawsze chciałem mieć czerwone buty... – Tata czule
pogłaskał zamszową skórę.

– A ja zawsze chciałam mieć bluzkę z Kicusiem –
powiedziała Basia stanowczo. – I chce mi się siusiu.

Godzinę później Basia i Tata zjechali wreszcie na parking.
Każde z nich niosło swoją torbę z zakupami, a Basia miała
na twarzy rozmazaną smugę od lodów czekoladowych.

– Pamiętasz, Basiu, gdzie zaparkowaliśmy? – spytał Tata.
Basia nie pamiętała. Następne dwadzieścia minut krążyli
po parkingu w poszukiwaniu samochodu. Gdy wreszcie
dotarli do domu, byli zmęczeni i głodni, ale bardzo
z siebie zadowoleni.

– Jesteśmy! – zawołał Tata, po wejściu.

– No, nareszcie – ucieszyła się Mama. – Myślałam już,
że coś was porwało. Udało się wam kupić kombinezon?

– Kombinezon? – Tacie uśmiech zamarł na ustach.

– Zobacz, Mamo, co Tata mi kupił! – Basia wyjęła z kolorowej
torby zestaw z Królikiem Kicusiem i błyszczące legginsy
z kokardką.

– O! – zdołała powiedzieć Mama.

– A sobie Tata kupił czerwone buty – pospieszyła z kolejną
radosną wieścią Basia. – Ostatni krzyk mody!

W poniedziałek Tata poszedł do pracy w nowych butach, a Basia do przedszkola w bluzce z Królikiem Kicusiem.

A po przedszkolu Mama zabrała ją do sklepu z tanią odzieżą Ciuszek Farciuszek.

– Dawno pani u nas nie było – ucieszyła się na jej widok właścicielka. – Mamy nową dostawę spódnic i strojów sylwestrowych.

– Szukamy kombinezonu narciarskiego – powiedziała Mama.

– Może być czerwony?

Basia spojrzała na jaskrawy kombinezon z futrzanym kołnierzem i wyhaftowaną na plecach białą śnieżynką.

– Może być! – powiedziała zdecydowanym głosem.

Spędziły z Mamą w sklepie trochę czasu. Wyszły
z falbaniastą spódnicą do flamenco i sukienką z cekinów
dla Mamy, strojem kosmonauty dla Janka, czapką
z kolorowymi pomponami i pluszowym dinozaurem
dla Franka, krawatem w pomidory dla Taty – „pod kolor
butów" – jak skomentowała Mama, oraz kombinezonem,
srebrnymi balerinkami i boa z piór dla Basi. Wszystko
po okazyjnej cenie!

Wracały do domu przez park i Basia radośnie podskakiwała
obok Mamy. Pomyślała, że jak włoży nowe błyszczące
legginsy, bluzkę z Królikiem, srebrne buty i boa z piór, Janek
będzie musiał przyznać, że pięknie wygląda! Pomyślała też,
że bardzo lubi, kiedy Mama oczyszcza dom z niepotrzebnych
rzeczy. Jest wtedy więcej miejsca na coś nowego!